La abuelita de arriba y la abuelita de abajo

Tomie dePaola

GRUPO
EDITORIAL
norma

www.norma.com

Barcelona, Bogotá, Buenos Aires, Caracas, Guatemala, Lima, México, Miami, Panamá, Quito, San José, San Juan, San Salvador, Santiago de Chile.

*Para toda mi familia, especialmente a los
que recuerdan a Honorah O'Rourke Mock
y a Alice Mock – La abuelita de arriba y
la abuelita de abajo.*

De Paola, Tomie, 1934-
    La abuelita de arriba y la abuelita de abajo / Tomie
De Paola ; traductor Mercedes Guhl. -- Bogotá : Grupo
Editorial Norma, 2006.
    32 p. : il. ; 28 cm. -- (Buenas Noches)
    Título original : Nana Upstairs & Nana Downstairs.
    ISBN 958-04-9693-5
    1. Cuentos infantiles estadounidenses 2. Abuelos -
Cuentos infantiles 3. Familia - Cuentos infantiles 4. Muerte -
Cuentos infantiles I. Guhl, Mercedes, 1968-   , tr. II. Tít.
III. Serie.
I813.5 cd 20 ed.
A1092064

    CEP-Banco de la República-Biblioteca Luis Ángel Arango

Título original en inglés:
Nana Upstairs & Nana Downstairs
de Tomie de Paola
Publicado por G.P Putnams' Sons, Nueva York.
Copyright © 1973 por Tomie de Paola.
Copyright de las ilustraciones © 1998 por Tomie de Paola.

© Editorial Norma S.A. 2006 en español para Latinoamérica y Estados Unidos
A.A. 53550, Bogotá, Colombia

Traducción: Mercedes Gühl
Edición: Cristina Aparicio
Impreso en Colombia — Printed in Colombia
Impreso por Gráficas de la Sabana Ltda.

C.C. 11572
ISBN: 958-04-9693-5

Cuando Tomás era pequeño, tenía una abuela y una bisabuela a quienes quería mucho.

Tomás iba a visitarlas con sus padres todos los domingos. La
abuela pasaba mucho tiempo en la cocina, en el primer piso.

Pero la bisabuela, que tenía noventa y cuatro años, estaba siempre metida en su cama, en el segundo piso. Por eso, Tomás las llamaba la abuelita de abajo y la abuelita de arriba.

Casi todos los domingos, Tomás entraba corriendo a la casa,
saludaba a su abuelo Tom y a la abuela de abajo y después corría
escaleras arriba, a la habitación de la abuela de arriba.

—¿Quieres dulces? —le preguntaba la abuela de arriba cuando lo veía entrar. Y él abría el costurero que había sobre la cómoda y sacaba unas pastillas de menta.

Una vez, la abuela de abajo vino y ayudó a la de arriba a sentarse
en el sillón, y luego la ató al espaldar para que no se cayera.

—¿Y por qué se va a caer la abuelita de arriba? —preguntó Tomás.

—Porque tiene noventa y cuatro años —contestó la abuelita de abajo.

—Yo tengo cuatro años y también quiero que me aten a la silla —dijo Tomás.

Desde entonces, todos los domingos, después de que Tomás sacaba las pastillas de menta, la abuela de abajo subía por la escalera de atrás y ataba a la abuela de arriba y a Tomás a sus sillas.

Así podían charlar y comer pastillas de menta sin preocuparse.

Fue la abuela de arriba la que le contó a Tomás de los duendes.

—Ten cuidado con el que usa un sombrero rojo con una pluma. Ese juega con fósforos —le advirtió.

—Tendré cuidado —dijo Tomás.

—¡Míralo! Ahí está, detrás del cepillo y la peinilla, ¿lo ves? Tomás asintió.

Cuando la abuela de abajo terminaba de hacer cosas ricas en la cocina y sacaba del horno el pastel que se comerían más tarde con Tomás y su familia, subía y desataba a Tomás de la silla.

—Es hora de hacer la siesta —decía.

Después de la siesta, la abuela de abajo peinaba el hermoso pelo plateado de la abuela de arriba.

Y después peinaba y cepillaba su propio pelo.

—¡Ahora póntelo como la cola de una vaca! —decía Tomás.
Lo enroscaba como un cordón y se lo enrollaba sobre la cabeza.

Una vez, el hermano mayor de Tomás entró en la habitación, vio a la abuela de arriba con el pelo suelto cayéndole sobre los hombros, y huyó corriendo.

—¡Parece una bruja! —dijo.

—¡No es verdad! —replicó Tomás—. Ella es linda.

—Es hora de ir a comer un helado —gritaba el abuelo Tom.

Y Tomás y su hermano iban con él hasta la heladería. De vez en cuando los acompañaban su padre y el tío Carlos.

Cuando volvía de comer helado, Tomás ayudaba a llevar la bandeja con leche y galletas para la abuelita de arriba.

El padre de Tomás filmó a toda la familia una vez.

Filmó a la abuela de abajo y a la abuela de arriba, y a Tomás de pie entre las dos.

Una mañana, la madre de Tomás entró en la
alcoba donde él dormía, lo tomó en sus brazos y le
dijo:

—La abuelita de arriba se murió anoche.

—¿Qué es morirse? —le preguntó Tomás.

—Morirse quiere decir que la abuelita de arriba se ha
ido y no estará más con nosotros —respondió mamá.

A pesar de que no era domingo, la familia fue a casa del abuelo Tom y la abuela de abajo.

Tomás corrió escaleras arriba sin saludar a nadie, y entró en la habitación de la abuela de arriba.

La cama estaba vacía…

Tomás se puso a llorar.

—¿No va a volver nunca? —le preguntó Tomás a su mamá.

—No, chiquitín —contestó en voz baja—. Pero cada vez que pienses en ella, volverá a tu memoria y será como si estuvieras a su lado.

Desde entonces, Tomás llamó a la abuela de abajo simplemente abuelita.

Unos días después, Tomás se despertó y miró las estrellas por la ventana de su habitación.

De repente, una estrella cayó del cielo. Tomás se levantó y corrió
a la habitación de sus padres.

—Acabo de ver una estrella que se desprendió del cielo —dijo.

—Tal vez era un besito de la abuelita de arriba —respondió su madre.

Pasaron muchos años y Tomás creció. La abuela de abajo envejeció, y pasaba el día en la cama como la abuela de arriba. Y un día, también murió.

Una noche en que Tomás miraba por la ventana de su habitación, vio otra estrella que cayó del cielo.

"Ahora ambas son abuelas de arriba", pensó.

Este libro es una historia real.

Aún considero que fue una experiencia maravillosa y un gran privilegio haber conocido no sólo a mis dos abuelas y a un abuelo, sino también a mi bisabuela irlandesa. Los familiares irlandeses (soy mitad irlandés y mitad italiano) vivían muy cerca, por lo tanto los veíamos una vez a la semana, y pasé muchas horas con la abuela de arriba, atado a la silla junto a ella y comiendo mentas. A mis cuatro años de edad, ella era mi mejor amiga.

La edición original de este libro, escrito en 1972 y publicado en 1973, fue ilustrado en tres colores, negro, rosado y ocre. No fue fácil volver a ilustrar el libro a todo color. No fue simplemente ponerle color. Mi estilo de diseño ha cambiado sutilmente con el tiempo. Así que, veinticinco años después, lo tomé como si fuera un libro nuevo. Fue muy importante para mí mantener ese sentimiento de nostalgia del libro original, y lo pude lograr sobre todo con el manejo del color suave. Crear este nuevo libro fue una experiencia emocional igual a como fue entonces.

Aquí está para Honorah O'Rourke Mock y para Alice Mock Downey - *La abuelita de arriba y la abuelita de abajo.*

T. de P.
NH, 1998